Des vols étranges

Il était huit heures quand Boulon et l'inspecteur-chef sont arrivés au poste de police. La secrétaire de l'inspecteur-chef s'est précipitée vers eux, l'air paniqué. Plusieurs crimes avaient été commis durant la nuit. Boulon et l'inspecteur-chef avaient reçu cinq messages et le téléphone n'arrêtait pas de sonner. Les citoyens étaient affolés.

Les légumes de nombreux potagers de la ville avaient disparu ! Boulon était très inquiet.

« Si ça continue ainsi, plus personne n'aura de légumes pour cuisiner. Que sera une salade sans légumes ? Que sera une soupe aux légumes sans légumes ? Que sera une collation de crudités sans légumes à manger avec de la trempette ? » disait Boulon à l'inspecteur-chef. Boulon a toujours adoré

les légumes. Il était en excellente santé et il connaissait l'importance de bien s'alimenter. Boulon était donc déterminé à retrouver les légumes volés, mais surtout, à découvrir qui était l'auteur de ces crimes épouvantables.

« Il faut que ça s'arrête ! Il faut que ça s'arrête tout de suite ! » répétait Boulon.

De son côté, l'inspecteur-chef semblait plutôt se réjouir :

« Je hais les légumes. Je serais bien heureux de ne plus être forcé d'en manger. »

Le chef détestait les légumes. Un monde sans légumes serait sans doute son monde idéal. Il n'était d'ailleurs pas pressé d'envoyer son équipe sur les lieux.

« Avant de s'énerver, je pense qu'il faut attendre. C'est peut-être un hasard. On ne devrait pas enquêter. D'autres légumes finiront bien par pousser dans les potagers. »

Mais Boulon n'était pas du même avis. Il fallait intervenir rapidement.

La visite des jardins

Boulon a noté dans un calepin les adresses des victimes. Puis, il s'est rendu sur les lieux en compagnie de Chiffon. Boulon a interrogé plusieurs victimes en faisant le tour des jardins. Chiffon a aussi cherché des indices en reniflant.

Boulon a d'abord cru qu'un groupe d'oiseaux avait dévoré les légumes. Mais il a rapidement exclu cette hypothèse. En effet, chaque jardin était gardé par un épouvantail. Généralement, les oiseaux ont peur des épouvantails.

Ensuite, Boulon a pensé que le célèbre chef cuisinier Luigi avait peut-être volé les légumes des jardins. Sans légumes, les gens ne pourraient pas cuisiner de sauce à spaghetti et ils seraient obligés d'aller à son restaurant pour en manger. Mais Boulon s'est rappelé que Luigi était parti en voyage, en Italie. Il était à l'extérieur du pays. Luigi ne pouvait donc pas avoir volé les légumes des potagers. Boulon était embêté.

En examinant les potagers de plus près, Boulon a fait une étrange découverte. Un petit carton était accroché sur chacun des épouvantails. Boulon a pris soin de récupérer les cartons avec des pinces pour ne pas les abimer. Ensuite, il les a mis dans une enveloppe pour éviter de les perdre.

«Voilà des indices qui m'aideront à résoudre mon enquête, Chiffon», a dit Boulon en regardant son chien.

Chiffon remuait la queue. Il était content de la découverte de Boulon.

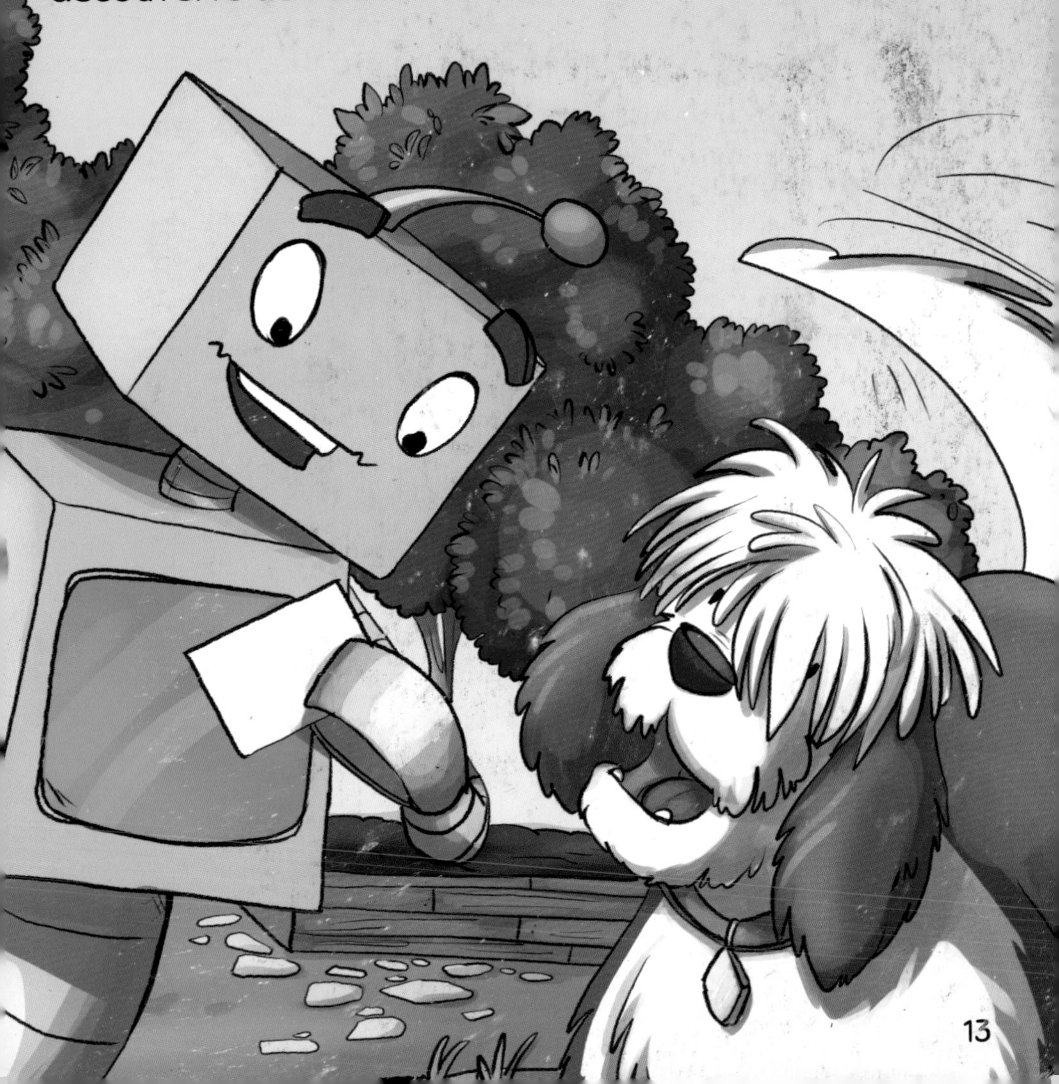

L'énigme

De retour au poste de police, Boulon avait hâte d'examiner les indices récoltés. Il est allé directement dans son bureau et s'est mis au travail. Il n'avait pas une minute à perdre. Il fallait résoudre cette enquête avant la tombée de la nuit, pour éviter que le voleur s'empare des légumes appartenant aux autres citoyens.

Boulon a déposé ses cartons sur son bureau. Il y avait sept cartons. Sur chacun, une lettre était inscrite. Boulon regardait les lettres en se grattant la tête. Soudainement, il s'est exclamé :

« C'est une énigme ! Chef, venez m'aider ! »

L'inspecteur-chef, qui passait tout près du bureau, est alors entré pour rejoindre Boulon.

« Je vais t'aider, Boulon. Tu as devant toi les lettres *e*, *c*, *a*, *h*, *i*, *l* et *b*. Il y a quatre consonnes et trois voyelles. Je propose de regrouper les lettres *c* et *h*. Ensemble, elles forment le son "ch". Comme dans... »

b
i
E
L
a

Boulon lui a rapidement coupé la parole.

« Les lettres *c* et *h* font le son "ch" comme dans "Chabile" ! »

Boulon s'est empressé de placer les cartons en ordre sur la table pour former le mot « Chabile ». Il n'y avait plus de doute. C'était bien le mot « Chabile » qu'il avait devant lui.

« C'est encore un coup de Chabile. Je déteste ce chat ! » s'est exclamé Boulon.

Boulon était furieux. Ce gros matou le mettait continuellement en colère. Chabile était son pire ennemi.

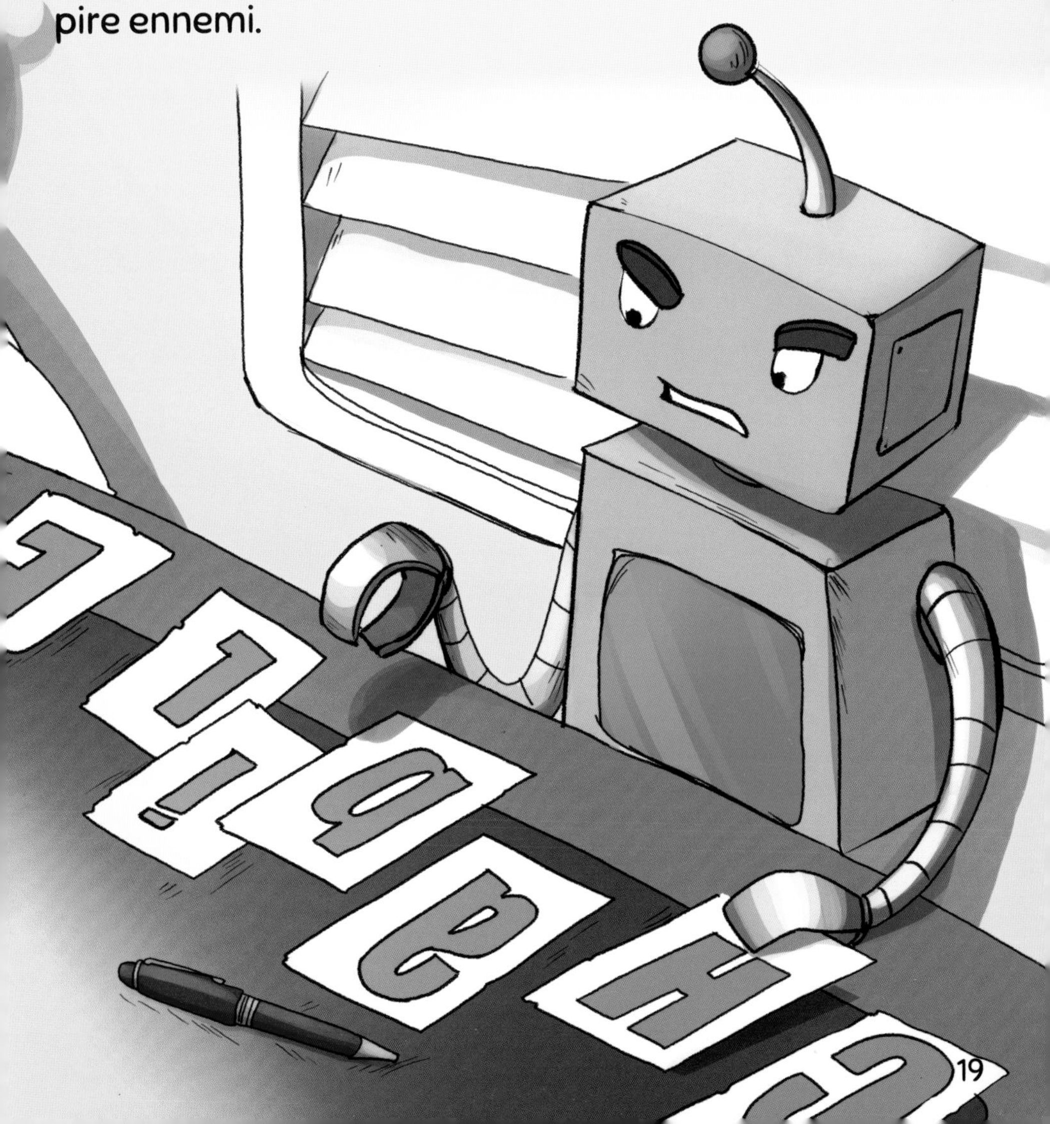

Une surprise pour l'inspecteur-chef

Boulon et l'inspecteur-chef venaient tout juste de découvrir que Chabile était responsable des vols. Au même moment, la secrétaire de l'inspecteur-chef a cogné à la porte et lui a dit :

« Monsieur, vous avez reçu une surprise. Il s'agit d'une enveloppe et d'un colis. »

L'inspecteur-chef et Boulon étaient très curieux. Qui pouvait bien vouloir faire une surprise au chef ? Et pourquoi vouloir le surprendre ? Ce n'était pourtant pas son anniversaire. L'inspecteur-chef a rapidement ouvert l'enveloppe afin de lire la lettre. Boulon le regardait, impatient d'en connaitre le contenu.

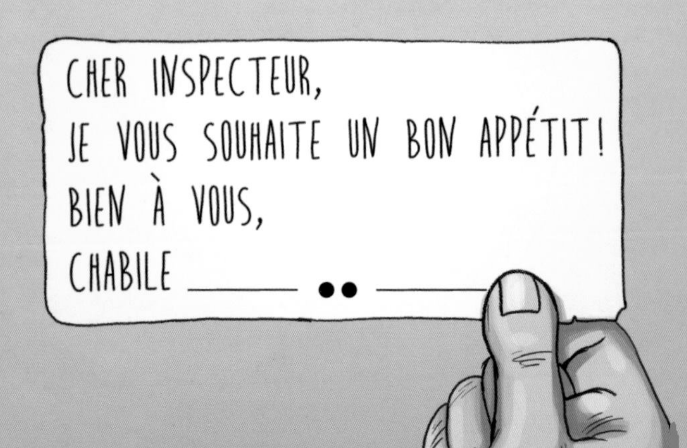

L'inspecteur-chef a déballé le colis, d'un air méfiant.

« Dégoutant ! Une montagne de légumes ! Je déteste les légumes ! Mais par-dessus tout, je déteste ce chat. Chabile, tu ne perds rien pour attendre ! Un jour, je te mettrai derrière les barreaux ! »

Boulon, lui, s'est mis à rigoler. Il était encore furieux contre Chabile, mais il trouvait cette farce plutôt drôle.

« Chef, avec tous ces bons légumes, vous pourrez manger des crudités, de la soupe aux légumes et de la salade tous les jours pendant au moins deux semaines ! »

Le chef a plutôt décidé d'aller redonner les légumes à leurs propriétaires.